À Simon et son papa

Un grand merci à **Dimitri Casali** pour ses relectures
et ses corrections et à l'**Unité d'Archéologie de Saint-Denis**
pour le prêt de ses photographies.

Crédits photos pp. 8-9 : GETTY Rebec : Dorling Kindersley. **RMN** Épée : Paris Musée de l'Armée, dist. RMN, Pascal Segrette.
Unité d'Archéologie de Saint-Denis Balle en cuir et fac-similé, époque carolingienne et peigne en bois, XIVᵉ siècle : Jacques Mangin.

Maquette et suivi des illustrations : Marielle Durand

Les chevaliers

Conception et texte : **Cécile Jugla**

Illustrations :
Rémi Saillard

Au château de monseigneur Gautier

Tristan est un jeune noble du Moyen Âge. Aujourd'hui, son papa l'emmène vivre chez monseigneur Gautier. Tristan est un peu triste : il sait qu'il ne reverra pas sa maman et son château avant longtemps...

Le moulin

Le pont

Les douv

À toi de jouer !

Retrouve ces personnages dans la grande image. Montre et nomme la partie du château fort dans laquelle ils se trouvent.

Tristan, 7 ans

Monseigneur Arthur, son papa

Monseigneur Gautier

Dame Blanche sa femme

Le donjon

La cuisine

La chapelle

Le logis

La haute cour

basse cour

Le mur d'enceinte
ou la courtine

La tour d'enceinte

Le chemin
de ronde

Mahaut,
leur fille

Aymeric,
leur fils aîné

Jehan,
le cuisinier

Roland,
le petit paysan

Frère Charles,
le chapelain

Dans la basse cour

Quelle activité ! Tristan n'est plus fatigué : il veut jouer au cerceau avec les enfants. Son papa le tire par la manche. Vite, il faut suivre monseigneur Gautier dans la haute cour !

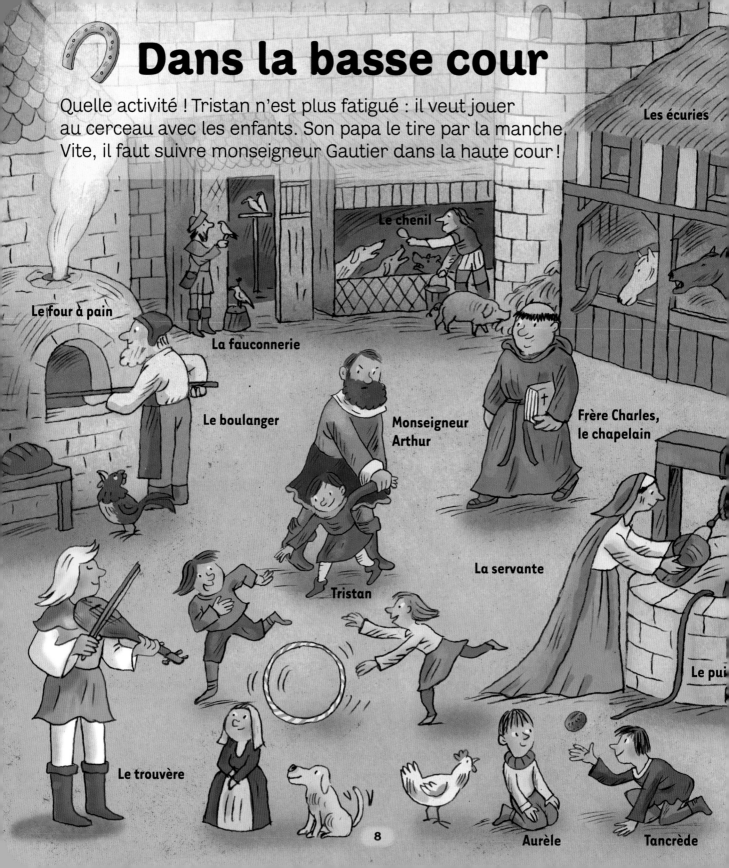

Les écuries

Le chenil

Le four à pain

La fauconnerie

Le boulanger

Monseigneur Arthur

Frère Charles, le chapelain

La servante

Tristan

Le pui

Le trouvère

Aurèle

Tancrède

8

À toi de jouer !

Retrouve dans l'image l'objet en rose qui correspond à chaque photo.

la balle

le rebec

l'épée

le peigne

La forge

Le palefrenier

Monseigneur
Gautier

Le forgeron

Le marchand

Un grand chantier

🔍 À la loupe !

Monseigneur Gautier a surveillé la construction de son château, qui a duré longtemps. Retrouve-le dans chaque image !

🔴 Un chef et des plans

Gontran, l'architecte, a dessiné les plans, en suivant les volontés de monseigneur Gautier. Puis il a engagé les artisans.

🔴 Des pierres et du bois

Gontran a aussi choisi les matériaux. Les pierres viennent d'une carrière toute proche. Le bois provient des arbres abattus par les bûcherons dans la forêt.

Préparation...

Les tailleurs de pierre
ont sculpté les pierres.
Les forgerons ont fabriqué
et réparé les outils.
Les charpentiers ont
coupé le bois pour faire des
échafaudages et des machines.

... et construction

Les fondations ont été
creusées. Les maçons
ont assemblé les pierres.
En haut des tours,
les charpentiers ont
monté les charpentes.

 À toi de jouer !

Montre ces outils
dans les images.
Par qui sont-ils
utilisés ?

le compas   la hache   la massette et le ciseau   l'enclume   la scie de long   la truelle

Une vie de page

Depuis déjà deux semaines, Tristan vit loin de sa famille :
il est devenu l'un des pages de monseigneur Gautier.
Une étape obligatoire pour être un jour chevalier...

1 Un bon élève

Chaque matin, Tristan étudie dans la chapelle
avec d'autres enfants. Frère Charles leur apprend
à compter, à lire et à écrire.

2 Une seconde maman

Tristan pense souvent à sa famille. Heureusement,
dame Blanche s'occupe beaucoup de lui. Elle lui
enseigne la danse, la musique... et la politesse.

3 Une petite pause

Tristan joue à cache-cache ou à colin-maillard dans le château. Se bagarrer à l'épée ou monter sur un cheval
de bois prépare très bien au métier de chevalier !

🔍 À la loupe !

Retrouve dans les images les enfants de monseigneur Gautier...   ... Tristan et les autres pages du château.

 Aymeric   Mahaut   Côme   Tristan   Aurèle   Raoul   Tancrède

4 À l'écurie

Tristan passe beaucoup de temps à s'occuper des chevaux et à les nettoyer. Il apprend aussi à les monter.

5 Un bon serviteur

Un bon chevalier doit bien servir son maître. C'est ce que fait Tristan pendant le repas du soir : il apporte ses plats à monseigneur Gautier.

6 Des exemples à suivre

Pendant le repas, Tristan écoute un trouvère raconter la vie d'un noble chevalier qui a toujours été juste. « Pourvu que je sois pareil ! » espère le jeune garçon.

7 Bonne nuit !

La journée a été longue pour Tristan. Après une petite prière, il va vite se coucher !

Une partie de chasse

Monseigneur Gautier part souvent à la guerre avec ses chevaliers. En hiver, quand le froid l'en empêche, il s'entraîne au combat en chassant sur ses terres. Que fait Tristan ?

Les filets

À la loupe !

Lequel de ces gibiers est chassé par monseigneur Gautier ? Vois-tu d'autres animaux cachés dans la forêt ?

le cerf

la biche

le chevreuil

le lièvre

le sanglier

monseigneur Gautier voit
...and poser un piège, il le punira.
...paysans n'ont pas le droit de
...sser sur ses terres.

Le cor

Le poignard

L'épieu

On organise parfois des battues pour chasser les loups.

le renard   le loup   l'ours   le blaireau   le faisan

Un parfait écuyer

À 14 ans, Tristan est devenu l'écuyer de monseigneur Gautier.
S'il veut être bon guerrier et excellent cavalier, il doit obéir à des règles.
À toi de dire s'il agit comme il faut quand...

Il lutte au sol avec Tancrède.

Oui. C'est un très bon exercice pour devenir costaud.

Il dort par terre dans une pièce sans chauffage.

Oui. Un futur chevalier doit être fort et savoir vivre sans confort !

Il fauche les blés.

Non. Ce rôle est celui des paysans de monseigneur Gautier.

Il part à la guerre avec monseigneur Gautier.

Oui. Tristan ne combat pas mais il s'occupe des armes et du cheval de son maître qu'il soutient s'il est blessé.

Il se sauve en courant face à l'ennemi.

Non. Selon le code de l'honneur des chevaliers, Tristan doit être courageux. Sinon on le traitera de « couard ».

Il porte le bouclier de monseigneur Gautier sur le champ de bataille.

Oui. C'est son rôle. Écuyer vient d'ailleurs du mot « écu », le nom donné au bouclier.

conduit le cheval de monseigneur
...utier de la main gauche.

Non. Il doit le faire de la main
droite. D'où le nom de ce cheval
de guerre qui s'appelle... un destrier.

...oue aux échecs avec
...onseigneur Gautier.

Oui. Ce jeu venu d'Orient prépare
...ien à la guerre.

Il laisse l'armure de monseigneur
Gautier sous la pluie.

Non. Tristan doit faire attention
aux armes et à l'armure de son
maître en les gardant bien au sec !

Il refuse d'aller écouter la messe
à la chapelle du château.

Non. Tristan doit honorer Dieu
et être un bon chrétien en allant
à la messe tous les jours.

Il monte un cheval sauvage.

Oui. Car c'est très utile pour devenir
un bon cavalier.

Il frappe un valet qui n'a rien
fait de mal.

Non. Un futur chevalier doit être
juste et bon.

Enfin chevalier !

Ce jour de mai est un grand jour pour Tristan. À 21 ans, après 14 années passées au service de monseigneur Gautier, il va être adoubé, c'est-à-dire équipé pour devenir chevalier...

● L'adoubement

Tristan doit d'abord se purifier. Brrr ! Il prend un bain d'eau froide. Puis on lui coupe les cheveux.

Il passe la nuit dans la chapelle à prier. C'est la veillée d'armes. Il ne doit surtout pas s'endormir...

C'est le matin. Tristan n'a pas dormi. Il est prêt à être adoubé. « Avec cette arme, tu défendras Dieu, ses serviteurs et les faibles ! » lui dit frère Charles.

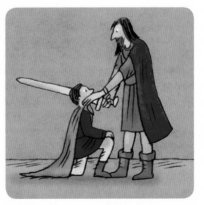

« Tristan, je te fais chevalier, déclare monseigneur Gautier. Toujours tu seras bon, loyal et généreux. » Puis il lui donne une claque dans le cou.

Voilà Tristan adoubé. Le nouveau chevalier est prêt à tournoyer.

Le chanfrein protège la tête du destrier de Tristan.

Le cheval est recouvert d'**un caparaçon**, une sorte de robe en tissu.

À toi de jouer !

Nomme ce qui est posé sur l'autel au moment où Tristan est adoubé par frère Charles. Que tient le chapelain entre ses mains ?

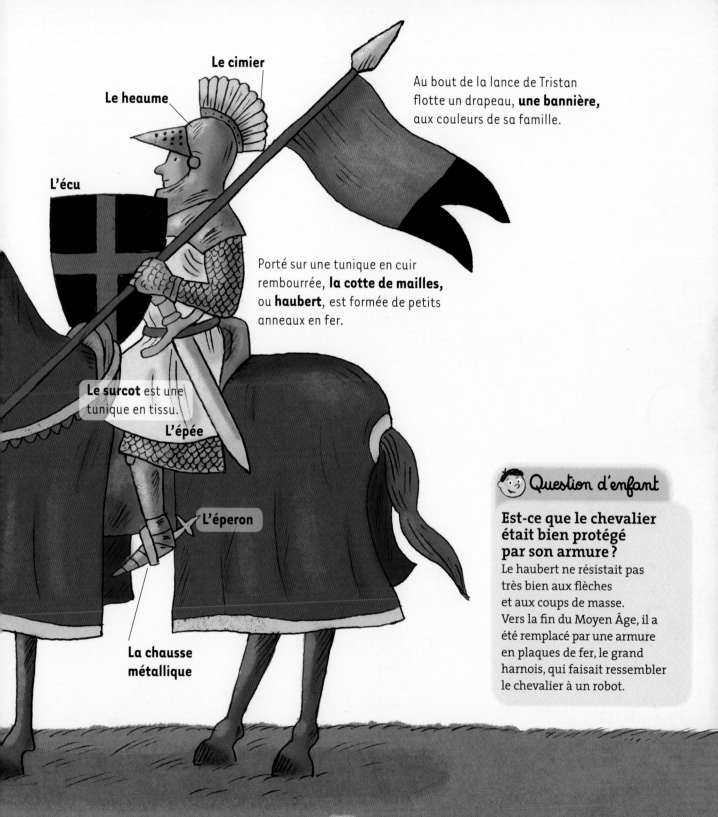

Le cimier

Le heaume

L'écu

Au bout de la lance de Tristan flotte un drapeau, **une bannière,** aux couleurs de sa famille.

Porté sur une tunique en cuir rembourrée, **la cotte de mailles,** ou **haubert**, est formée de petits anneaux en fer.

Le surcot est une tunique en tissu.

L'épée

L'éperon

La chausse métallique

Question d'enfant

Est-ce que le chevalier était bien protégé par son armure ?
Le haubert ne résistait pas très bien aux flèches et aux coups de masse. Vers la fin du Moyen Âge, il a été remplacé par une armure en plaques de fer, le grand harnois, qui faisait ressembler le chevalier à un robot.

La joute

Le cheval et l'équipement de Tristan ont coûté cher.
Pourvu qu'il ne les perde pas lors de son premier
tournoi ! Pourvu aussi qu'il ne soit pas blessé !
À toi de repérer les 6 différences entre ces deux images.

Le héraut dit le
nom des chevaliers
en décrivant leurs
blasons.

La lice est le terrain où
se déroule le tournoi.

Les chevaliers vont galoper l'un vers l'autre
et tenter de se faire tomber avec leur lance.

 À toi de jouer !

Aide-toi de ces blasons
pour trouver Tristan dans
la lice et nommer son
adversaire. Qui est le
vainqueur du tournoi ?

chevalier Tristan

chevalier Côme

chevalier Aurèle

chevalier Tancrède

Le sais-tu ?

es blasons sont ornés de motifs (ours, lion, licorne, dragon, rose...) ui représentent tous des qualités. Les couleurs, elles aussi, nt un sens. Voici leur traduction :

rudence   passion   loyauté   courtoisie   pureté   volonté

Que de spectateurs ! Les paysans comme Roland peuvent aussi assister au tournoi.

Le tournoi est fini. Le vainqueur recevra le cheval et les armes de son adversaire. En les revendant, il gagnera beaucoup d'argent...

lutions : sous la tente, dame Blanche lève le bras ; le chevalier Aurèle est à terre avec sa lance cassée ; le héraut a posé sa trompette ; stan a relevé son casque ; au fond, la bannière a changé de couleur ; derrière la barrière, Roland lève les deux bras.

À table !

Dans la grande salle du château, c'est la fête !
Pour l'adoubement de Tristan, monseigneur
Gautier a organisé un banquet.

● **Au château**

La bougie
en cire

Des tranches de pain,
les tranchoirs, servent
d'assiettes aux invités.

Tristan est heureux :
un trouvère chante un
poème en son honneur.

On mange avec les
trois premiers doigts
de la main droite.

À la loupe !

Que de plats au cours
de ce repas ! Ce menu
en présente quelques-
uns. À toi de dire
ce que les serviteurs
apportent ici.

melon et figues	pâté de chevreau	tourte aux champignons	cygne rôti	paon rôti	tarte au fromage blanc

hanson
cupe du vin.

On s'essuie
les mains sur
la nappe.

Le montreur d'ours
et les jongleurs
attendent leur
tour pour faire
leur numéro.

Chez Roland

Roland vit avec toute
sa famille dans une
seule pièce.

Les légumes
de la soupe
viennent
du potager,
le courtil.

Au menu, une
soupe de fèves
et du pain gris.

À l'attaque !

Tristan et monseigneur Gautier ont à peine fini leur repas qu'un garde arrive, affolé : le château est attaqué par monseigneur Robert ! Vite, il faut se défendre...

Le trébuchet envoie une vache morte à l'intérieur du château : gare aux microbes !

Cachés derrière des mantelets, les archers lancent leurs flèches.

L'arc

Le beffroi ou **tour d'assaut**

Le bélier

Une grande gril en fer, **la herse** protège l'entré

Le pont a été détru

Les meurtrières

L'arbalète

La masse d'armes

L'échelle d'assaut

La hache

Le mangonneau lance des grosses pierres pour détruire les murailles.

À la loupe!

Retrouve tous ces personnages dans la grande image.

1. Roland s'est réfugié dans la basse cour avec sa famille.

2. Monseigneur Gautier remonte l'échelle. Plus personne ne peut entrer dans le donjon.

3. Dame Blanche et les enfants sont à l'abri dans le donjon.

4. Victoire! Tristan capture monseigneur Robert.

Au château de monseigneur Tristan

Pour remercier Tristan d'avoir sauvé son château, monseigneur Gautier lui a donné sa fille Mahaut en mariage. Il était temps pour elle de prendre un mari !

Peu après le mariage de Tristan, son papa est mort. En tant que fils aîné, Tristan a hérité de son château et de ses terres.

Aussitôt, les vassaux de son père lui rendent hommage : ils lui jurent fidélité.

Tristan fait la même chose avec son suzerain, monseigneur Gautier.

Très vite, Mahaut a un garçon. Tristan est fier d'avoir un héritier ! Il le prénomme comme son père : Guillaume.

Guillaume est baptisé. Mathilde la nourrice va l'allaiter pendant deux ans. Un bon moyen de le protéger des maladies !

Question d'enfant

Comment soignait-on les enfants ?

Pour connaître sa maladie, le médecin observait le pipi du malade. Puis il lui donnait des médicaments à base de plantes ou le faisait saigner en le coupant avec un couteau.

7 ans plus tard...

Tristan accompagne
son fils aîné au château
de monseigneur Aymeric,
le fils de monseigneur
Gautier.

À son tour, Guillaume
va devenir page...

Mahaut est la maîtresse du château.
Elle s'occupe des repas et de tous les serviteurs.

À la loupe !

La famille de Tristan
et Mahaut s'est agrandie.
Retrouve dans cette
image tous les enfants.

Guillaume, 7 ans   **Alix,** 6 ans   **Marie,** 5 ans   **Ludovic,** 3 ans   **Baudoin,** 14 mois

Pas possible !

On raconte des choses étonnantes au sujet des châteaux forts et des chevaliers. Sont-elles vraies... ou fausses ? À toi de le dire !

Vrai ou Faux ?

Les chevaliers donnaient un nom à leurs épées.

Vrai. L'épée de l'empereur Charlemagne s'appelait « Joyeuse » et celle du roi Arthur, « Excalibur ».

Vrai ou Faux ?

Les invités pouvaient dormir dans le même lit que le châtelain.

Vrai. À cette époque, dormir seul ou à deux est un grand luxe et on se retrouve souvent à plusieurs dans un même lit.

Vrai ou Faux ?

Quand on allait aux toilettes dans un château, le pipi tombait dans les douves.

Vrai. Ces toilettes, les latrines, ne ressemblaient pas à celles d'aujourd'hui. C'étaient des gros trous percés dans la pierre, juste au-dessus des douves !

Vrai ou Faux ?

Les seigneurs se lavaient peu et leur barbe cachait la saleté de leur visage.

Faux. Ils prenaient même des bains dans de grandes cuves en bois remplies d'eau chaude... et ils se lavaient les mains avant de manger.

Vrai ou Faux ?

Quand un château était attaqué,
les gardes versaient de l'huile bouillante
du haut des murailles.

Faux. L'huile était bien trop chère pour
être gâchée. On utilisait à la place de l'eau
brûlante ou des projectiles,
comme les meubles !

Vrai ou Faux ?

Les dames passaient de longues
heures au soleil pour être bronzées.

Faux. À l'époque, la mode était d'avoir
la peau pâle. Et les dames utilisaient
des pommades d'herbes pour
la blanchir davantage...

Vrai ou Faux ?

On gardait la viande
dans de grands réfrigérateurs,
situés dans les caves du château.

Faux. Le réfrigérateur n'existait pas encore.
Les viandes et les poissons étaient conservés
dans des épices (cannelle, gingembre...)
et de l'eau salée.

Vrai ou Faux ?

Les dames portaient un hennin,
un chapeau en forme de cône,
qui pouvait mesurer un mètre de haut.

Vrai. Et plus leur coiffe était haute,
plus elles attiraient l'attention...